De Cymru

3-25

Y BLANED DDUR

Nofelau Bob Eynon
o Wasg y Dref Wen

I BOB OEDRAN

Ffug-wyddonol
Y Blaned Ddur

Antur a Rhamant (gyda geirfa)
Y Ferch o Berlin *
Y Bradwr *
Bedd y Dyn Gwyn *

Gorllewin Gwyllt (gyda geirfa)
Y Gŵr o Phoenix *

Dirgelwch: Cyfres Debra Craig (gyda geirfa)
Perygl yn Sbaen
Y Giangster Coll
Marwolaeth heb Ddagrau

I BOBL IFANC

(gyda lluniau du-a-gwyn)
Crockett yn Achub y Dydd
Trip yr Ysgol
Yn Nwylo Terfysgwyr
Castell Draciwla
Arian am Ddim

* *hefyd ar gael ar gasét yng nghyfres*
LLYFRAU LLAFAR Y DREF WEN

Y BLANED DDUR

BOB EYNON

DREF WEN

Cyhoeddwyd dan nawdd
Cynllun Llyfrau Darllen
Cyd-bwyllgor Addysg Cymru.

© Bob Eynon 1995
Cyhoeddwyd gan Wasg y Dref Wen,
28 Ffordd yr Eglwys,
Yr Eglwys Newydd, Caerdydd CF4 2EA
Ffôn 01222 617860

Cedwir pob hawlfraint. Ni chaiff unrhyw ran o'r llyfr hwn ei hatgynhyrchu na'i storio mewn system adferadwy na'i hanfon allan mewn unrhyw ffordd na thrwy unrhyw gyfrwng electronig, peirianyddol, llun-gopïo, recordio nac unrhyw ffordd arall, heb ganiatâd ymlaen llaw gan y cyhoeddwyr.

I Eric Evans

ENWAU

Gleision *milwyr a phlismyn Volna*
Halga *tywysog Volna*
Haza *tywysoges Volna a chwaer Halga*
Huw Carmichael *milwr*
Karl Majasan *milwr*
Kerin *pennaeth byddin a heddlu Volna*
Stravo *corrach a seiciatrydd*
Tamol *tad Kerin a chyn-unben Volna*
Volna *y blaned ddur*
Vorsor *caethwas mawr a chryf*

1.

Rhoddodd Huw Carmichael y Lee Enfield i lawr am eiliad a chwiliodd yn ei boced am sigarét. Roedd e'n gorwedd ar ei stumog ar y glaswellt meddal gan wylio'r afon a'r jyngl y tu draw i'r afon. Roedd yr haul wedi còdi'n uchel yn yr awyr ac roedd hi'n boeth iawn.

Taniodd Huw y sigarét a thynnodd arni'n ddwfn. Meddyliodd am foment am y noson y cwrddodd â Mr X yng ngorsaf reilffordd Charing Cross yn Llundain. Roedd Mr X wedi mynd â fe i dafarn y Villiers drws nesaf i'r orsaf. Dyn hyfryd oedd Mr X. Roedd e wedi cynnig llawer o arian i Huw ymuno â grŵp o filwyr cyflogedig yn Affrica.

Roedd Huw wedi petruso cyn rhoi ateb. Roedd e newydd adael y Marines ac roédd e wedi cael llond bol o'r fyddin. Ond ar ôl y pumed peint o gwrw roedd e wedi newid ei farn. Fel y dywedodd Mr X, doedd dim dyfodol i rywun fel ef ym Mhrydain.

"Ond fe all cyn-Marine fel ti wneud ffortiwn yn Affrica," esboniodd Mr X.

Tybed ble roedd Mr X nawr, meddyliodd Huw tra oedd y chwys yn rhedeg i lawr ei wyneb. Yn y Villiers yn yfed cwrw gyda ffŵl newydd, efallai, neu'n mwynhau steak au poivre a photelaid o glaret gyda merch ifanc dlos mewn bwyty yn Knightsbridge?

Cododd y reiffl i'w ysgwydd. Roedd rhywbeth wedi symud y tu draw i'r afon. Cerddodd criw bach o filwyr allan o'r coed a dod at lan yr afon. Milwyr y llywodraeth oedden nhw ac roedden nhw'n siarad ac yn chwerthin.

Dechreuodd un ohonyn nhw groesi'r afon a dilynodd y lleill e. Roedd y dyn cyntaf yn gweiddi gorchmynion trwy'r amser. Roedd yn amlwg mai swyddog oedd e. Cyfeiriodd Huw y reiffl a gwasgodd y triger.

Gwelodd e'r swyddog yn syrthio'n ôl ac yn diflannu o dan y dŵr. Rhuthrodd dyn arall ymlaen a helpu'r swyddog i'w draed. Llwyddodd y ddau ohonyn nhw i droi'n ôl a chyrraedd y tir sych ond roedd y lleill wedi rhedeg i ffwrdd a diflannu i mewn i'r jyngl. Saethodd Huw ddim yr ail waith; roedd y swyddog wedi'i anafu a byddai'n rhaid i'w filwyr fynd â fe'n ôl am driniaeth. Fydden nhw ddim yn ceisio croesi'r afon eto.

Rhoddodd e'r reiffl i lawr wrth ei ochr a thynnodd yn hapus ar y sigarét. Roedd e wedi'r rhwystro'r gelyn rhag croesi'r afon. Byddai'n siŵr o gael gwobr am hynny – potel o wisgi, neu ferch efallai. Teimlodd ei gorff yn ymlacio ar ôl y saethu. Yna gwelodd e fflach borffor ryw ganllath i ffwrdd...

2.

Dechreuodd calon Huw Carmichael guro'n gyflym. Oedd yr haul yn chwarae triciau arno? Nac oedd. Gwelodd e'r porffor eto. Beret oedd e – het parasiwtwyr y llywodraeth. Uned arbennig oedd y Paras; doedden nhw ddim fel y milwyr du cyffredin. Roedden nhw'n heini iawn ac roedd gynnau modern ganddyn nhw – Armalite neu Kalashnikov.

Roedd meddwl Huw yn troi'n gyflym; rhaid bod uned o'r Paras wedi croesi'r afon a'u bod yn chwilio amdano fe. Allai fe ddim aros yma i gael ei ddal.

Cododd ar ei draed a dechrau rhedeg ar hyd y llwybr oedd yn arwain i mewn i'r jyngl. O, fflamia...roedd grŵp o'r Paras yn rhwystro ei ffordd. Oedden nhw wedi ei weld e? Trodd yn ôl i gyfeiriad yr afon. Roedd e'n nofiwr da a gallai groesi i'r ochr draw yn ddidrafferth.

Pan gyrhaeddodd y dŵr clywodd lais yn gweiddi:

"Stopiwch!"

Taflodd ei hunan i mewn i'r afon, ond cyn iddo ddechrau nofio teimlodd e rywun yn dal ei siaced a cheisio ei dynnu o'r dŵr.

Trodd Huw a rhoi ergyd caled i'r dyn. Syrthiodd y Para i lawr am eiliad, ond yna cododd yn rhwydd ac ymosod ar Huw eto.

Roedd Huw wedi symud ymhellach i'r afon erbyn hyn ac roedd y dŵr yn ddwfn yn y fan honno. Dechreuodd nofio a dilynodd y Para ef i ganol yr afon. Erbyn hyn roedd Huw yn teimlo'n fwy hyderus. Gadawodd i'r dyn ei gyrraedd, yna cafodd afael ar ei ben a'i wthio dan y dŵr.

Dechreuodd y Para ymdrechu'n wyllt ond roedd Huw yn pwyso ar ei ben o hyd.

"Marwa," gwaeddodd. "Marwa!"

Roedd ymdrechion y Para'n mynd yn wannach a

gwenodd Huw wrtho ei hunan. Yna teimlodd boen ofnadwy yn ei fol, ac aeth y dŵr o'i amgylch yn goch.

3.

Pan ddeffrodd Karl Majasan roedd e'n gorwedd ar lan yr afon. Roedd ei ddillad yn wlyb ac roedd e wedi colli ei beret porffor. Ond, yn rhyfedd iawn, roedd ei reiffl yn gorwedd ar y ddaear wrth ei ochr. Cododd y Para'n araf ac edrych o'i gwmpas. Roedd y dyn gwyn yn gorwedd ar ei gefn bum llathen i ffwrdd.

Doedd y dyn gwyn ddim yn symud ond penderfynodd Karl fod yn ofalus. Cododd y reiffl o'r ddaear ac aeth i'r lle roedd y dyn yn gorwedd. Gwthiodd y dryll yn erbyn brest Huw Carmichael ac agorodd hwnnw ei lygaid.

"Codwch," gorchmynnodd Karl. "Mae'n rhaid inni groesi'r afon."

"Alla i ddim," meddai Huw. "Rwy wedi cael fy anafu."

"Ble?"

"Yn fy mola," atebodd Huw, ond yna sylweddolodd fod y poen wedi diflannu. Edrychodd i lawr. Doedd dim gwaed ar ei grys o gwbl.

"Codwch," meddai Karl. "Peidiwch â chwarae gêmau gyda fi."

Cododd Huw ar ei draed. Roedd e'n teimlo'n syndod o dda.

Edrychodd Karl Majasan o'i gwmpas, gan gyfeirio'r

dryll at y dyn gwyn trwy'r amser. Roedd Karl yn teimlo'n nerfus. Roedd y rhan yma o'r jyngl yn hollol ddieithr iddo. Roedd yr afon wedi'u cario nhw'n bell iawn. Dyn deallus oedd e, ac fel arfer roedd e'n chwerthin am ben pobl oedd yn siarad am ysbrydion y jyngl, ond nawr doedd e ddim yn teimlo mor siŵr.

"Fan yma?" gofynnodd Huw yn ddymunol. Roedd e'n synnu nad oedd y Para wedi'i ladd e'n barod.

"Ie."

Dechreuodd Huw groesi'r afon. Roedd y dŵr yn cyrraedd ei gluniau pan stopiodd yn sydyn.

"Beth sy'n bod?" gofynnodd y Para.

"Mae rhywbeth yn y dŵr," gwaeddodd y dyn gwyn. "Crocodeil efallai!"

Chwarddodd Karl yn uchel.

"Does dim crocodeilod yn yr afon yma," meddai. "Pysgodyn yw e."

Roedd e'n dal i siarad pan wthiodd Huw Carmichael heibio iddo. Gwelodd Karl ffurf hir dywyll yn y dŵr, yna cododd pen hyll allan o'r afon. Agorodd ceg anifail a dangos rhesi o ddannedd miniog.

Cyfeiriodd Karl y dryll at ben yr anifail a gwasgu'r triger. Ddigwyddodd dim byd. Roedd yr anifail yn agos iawn nawr, a gwthiodd Karl y reiffl i mewn i'w geg e. Clywodd e sŵn siarp pan gaeodd dannedd yr anifail ar faril y reiffl. Trodd y creadur ei ben yn gyflym a thynnodd y reiffl o ddwylo'r dyn du.

Sylweddolodd Karl Majasan fod yr anifail yn ceisio

bwyta'r gwn! Roedd y Para'n gwybod erbyn hyn nad oedd e'n gallu troi ei gefn ar yr anifail; byddai hynny'n rhy beryglus. Byddai'n rhaid iddo ildio tir yn araf o'i flaen. Cymerodd anadl dwfn a dechrau symud yn ôl. Roedd ei galon yn curo fel drwm.

Yna clywodd y dyn gwyn yn dod yn ôl i mewn i'r afon. Y tro yma roedd Huw yn cario ffon drom yn ei law. Tra oedd yr anifail yn canolbwyntio ar y dyn du daeth Huw â'r ffon i lawr yn drwm ar y pen hir. Chafodd yr ergyd ddim effaith o gwbl.

"Anelwch am ei drwyn!" awgrymodd Karl Majasan yn gyflym.

Cymerodd Huw gyngor y dyn du, a gwthiodd y ffon yn syth i fyny trwyn yr anifail. Rhuodd hwnnw yn ei boen, gollyngodd y reiffl i'r afon a nofiodd i ffwrdd i'r dŵr dwfn.

Ond roedd y ddau ddyn wedi cael digon o'r afon. Troion nhw'n ôl i'r lan.

"Felly does dim crocodeilod yn yr afon, oes e?" sylwodd Huw gan eistedd ar y glaswellt.

"Nid crocodeil oedd e," meddai Karl Majasan yn ystyfnig. "Roedd e'n edrych fel crocodeil, ond nid crocodeil oedd e."

Roedd Huw yn dal darn o laswellt yn ei law.

"Ydych chi wedi sylwi?" gofynnodd i'r dyn du. "Mae'r glaswellt yn blastig!"

Erbyn hyn roedd Karl Majasan wedi drysu'n lân. Roedd rhaid iddo fe droi'r stori.

"Pam achuboch chi fy mywyd i?" gofynnodd.

Cododd Huw Carmichael ei ysgwyddau.

"Wn i ddim," meddai. "Dydw i ddim yn deall beth sy'n digwydd, ond efallai y bydd yn well inni weithio gyda'n gilydd o hyn ymlaen."

4.

Penderfynon nhw gadw at lan yr afon i ddechrau. Doedden nhw ddim eisiau mentro i mewn i'r jyngl. Roedd y glaswellt a'r coed yn blastig, ond roedden nhw'n gallu clywed anifeiliaid yn y pellter, a'u sŵn yn ddigon real.

"Wyt ti'n adnabod y synau 'na?" gofynnodd Huw Carmichael.

"Rhai ohonyn nhw," atebodd Karl, "ond nid pob un."

Roedd y dyn du'n edrych ar yr awyr.

"Beth sy'n bod?" gofynnodd Huw.

"Rwy'n gallu clywed adar," meddai Karl. "Ond ble maen nhw?"

Crafodd Huw ei ên. Roedd e wedi rhoi'r gorau i boeni. Erbyn hyn roedd yn siŵr ei fod e mewn breuddwyd. Roedd tro yn y llwybr fan yma, ac yn sydyn gwelodd e fwthyn o'u blaenau nhw.

"Dyna'ch adar chi," meddai'n sydyn.

Cyfeiriodd at y bwthyn ac at y cawell mawr yn ei ymyl oedd yn llawn o adar swnllyd.

Dechreuodd Huw frysio, ond petrusodd Karl Majasan.

"Byddwch yn ofalus," meddai.

Roedd hen ŵr wedi dod at ddrws y bwthyn. Roedd yn cario ffon hir liwgar yn ei law. Dyn gwyn oedd e ac roedd ganddo farf lwyd.

Aeth Huw ymlaen yn hyderus. Efallai y byddai'r hen ŵr yn gallu esbonio dirgelwch y jyngl plastig. Edrychodd ar y ffon yn llaw'r hen ŵr. Roedd hi'n brydferth iawn ac roedd pen neidr ar ei charn.

"Sut mae!" gwaeddodd gan wenu ar yr hen ŵr. Yna agorodd y ddaear o dan ei draed ac roedd yn syrthio i mewn i bydew tywyll.

Glaniodd Huw ar ei gefn ar waelod y pydew. Doedd e ddim wedi'i anafu, ond teimlodd rywbeth yn symud ac yn troi o dan ei gorff. Sylweddolodd mewn fflach mai neidr oedd hi!

Neidiodd Huw ar ei draed a cheisio dringo wal y pydew, ond roedd yn rhy serth. Edrychodd i fyny a gweld y dyn du'n estyn ei law iddo. Yna gwelodd e'r hen ŵr yn dod i sefyll y tu ôl i'r Para ac yn dod â'r ffon liwgar i lawr ar ei ben. Syrthiodd y dyn du i'r llawr a chwarddodd yr hen ŵr fel gwallgofddyn.

Yna teimlodd Huw Carmichael bigiad bach yn ei figwrn, ac aeth popeth yn ddu.

5.

"Angel ydych chi?"

Roedd Huw wedi bod yn gwylio'r ferch ers pum munud. Merch brydferth iawn oedd hi, a chanddi wallt melyn a llygaid glas. Roedd hi'n gwisgo math o doga gwyn ac roedd hi'n eistedd wrth ochr gwely'r milwr.

Edrychodd y ferch arno.

"Felly, rydych chi wedi deffro," meddai hi.

"Ydw ond dydych chi ddim wedi ateb fy nghwestiwn i. Angel ydych chi?"

Siglodd y ferch ei phen.

"Nage, nid angel ydw i. Nyrs."

Cododd Huw ei ben ac edrych o gwmpas yr ystafell. Ystafell ysbyty oedd hi, ond doedd e ddim yn teimlo'n sâl o gwbl. Doedd y poen yn ei fola ddim wedi dod yn ôl a doedd dim poen yn ei figwrn chwaith. Meddyliodd am y neidr yn y pwll a chrynodd dipyn. Roedd e wedi cael hunllef.

"Ers faint o amser rydw i yma?" gofynnodd.

"Dydy hynny ddim yn bwysig. Sut rydych chi'n teimlo, Carmichael?"

Tynnodd y milwr ei gorff i fyny ar y glustog.

"Huw, os gwelwch yn dda. Gyda llaw, beth ydy'ch enw chi?"

"Haza," ebe'r ferch.

Gwenodd Huw arni.

"Dyna enw prydferth," sylwodd. "Ac rydych chi'n

brydferth hefyd. Fe allwn i syrthio mewn cariad â merch fel chi'n hawdd iawn."

Cochodd y ferch. Estynnodd Huw ei law a gafael yn llaw Haza. Thynnodd hi mo'i llaw i ffwrdd. Roedd croen y ferch yn esmwyth ac yn feddal.

"Esgusodwch fi," meddai Huw. "Efallai mai dyma'r tro olaf i fi siarad â merch hyfryd fel chi. Dywedwch, ydyn nhw'n saethu carcharorion rhyfel yn y wlad 'ma?"

"Dydw i ddim yn gallu ateb cwestiwn fel yna," ebe'r nyrs. "Fe fydd rhaid ichi ofyn i Stravo."

Tra oedd hi'n siarad curodd rhywun ar y drws.

"Mae'r Gleision wedi cyrraedd," meddai Haza. "Fe fyddan nhw'n mynd â chi at Stravo."

"Pwy ydy'r Gleision?" gofynnodd Huw.

"Heddlu...milwyr," atebodd y ferch. "Mae'n rhaid ichi fynd at y drws. Fyddan nhw ddim yn dod i mewn."

Cododd Huw o'r gwely. Roedd e'n gwisgo math o byjama llwyd. Aeth i agor y drws. Roedd dau ddyn yn sefyll yno. Roedden nhw'n gwisgo dillad glas a helmau glas. Cododd un ohonyn nhw ei law a chyfeirio gwn bach at y milwr. Edrychodd Huw ar y gwn. Roedd golwg od arno. Doedd e ddim wedi gweld gwn laser o'r blaen.

6.

Roedd Stravo'n aros amdano mewn swyddfa daclus. Corrach oedd Stravo. Roedd e'n gwisgo toga ac roedd modrwy wen ar un o'i fysedd.

"Arhoswch y tu allan, os gwelwch yn dda," meddai wrth y ddau blismon. "A chi, Carmichael, eisteddwch fan yna."

Cyfeiriodd at gadair o flaen ei ddesg. Eisteddodd Huw.

"Nawr 'te," meddai'r corrach. "Huw Carmichael ydych chi, ac rydych chi'n dod o blaned o'r enw'r Ddaear."

Syllodd Huw ar y dyn bach.

"Carcharor rhyfel ydw i," meddai'n llym. "Does dim rhaid ichi wneud sbort ar fy mhen i. Does dim rhaid ichi ymddwyn fel corrach mewn syrcas!"

Gwelodd e'r gwaed yn codi i wefusau'r dyn bach. Roedd rhaid i Stravo gymryd anadl dwfn cyn mynd yn ei flaen.

"Rydych chi'n dod o wlad fach o'r enw Cymru," meddai o'r diwedd. "Mae'ch rhieni chi wedi marw, ond mae chwaer 'da chi sy'n byw gyda'i theulu mewn tref o'r enw Manceinion. Ydych chi'n cofio'r ffeithiau 'na, Carmichael?"

Roedd meddwl Huw'n rhedeg yn wyllt. Sut roedd y corrach yn gwybod cymaint amdano? Oedd e wedi bod yn siarad yn ei gwsg?

"Does dim rhaid i fi ddweud dim byd wrthoch chi," atebodd. "Carcharor rhyfel ydw i."

Cododd Stravo ei ysgwyddau.

"Yn yr ysgol roeddech chi'n chwarae rygbi a chriced," meddai. "Roedd cariad 'da chi o'r enw..."

“Wendy,” gwaeddodd Huw yn sydyn.

Neidiodd ar ei draed a rhuthrodd ar y dyn bach, ond roedd rhywbeth yn ei rwystro rhag cyrraedd y ddesg. Yna trodd Stravo fotwm ar y fodrwy wen a chafodd Huw ei daflu ar draws yr ystafell. Glaniodd yn galed yn erbyn y wal.

“Byddwch yn ofalus,” rhybuddiodd y corrach. “Dydy pawb ar Volna ddim mor amyneddgar â fi.”

Rhwbiodd Huw ei fraich chwith.

“Volna?”

“Ie. Dyna enw’r blaned ’ma.”

Agorodd y drws a daeth y Gleision i mewn eto.

“Oes problem?” gofynnodd un ohonyn nhw i’r corrach.

“Nac oes,” meddai Stravo. “Mae ei gof yn well na’i dymer, dyna i gyd. Ewch ag e i’r Llys ar unwaith.”

7.

“Does dim rhaid ichi anelu’ch gynnau ata i fel yna,” meddai Huw wrth y ddau blismon tra oedden nhw’n mynd ag e ar hyd coridor hir.

Atebodd y Gleision ddim. Cyrhaeddon nhw ddrws mawr a’i agor heb guro. Aethon nhw i mewn i neuadd fawr lle roedd tua hanner cant o hen bobl yn eistedd mewn rhesi. Roedden nhw’n gwisgo togas melyn a throion nhw eu pennau i weld pwy oedd wedi dod i mewn; ond pan welon nhw'r Gleision troion nhw eu pennau i ffwrdd yn gyflym.

Aeth y Gleision â Huw ar draws y neuadd a chyrraedd drws arall. Curodd un o'r plismyn arno'n barchus a chyneuodd golau oren ar y wal uwchben y drws.

"Ewch i mewn," meddai wrth y Cymro. "Fe arhoswn ni yma."

Agorodd Huw y drws a mynd i mewn. Roedd bwrdd mawr yng nghanol yr ystafell, a dau ddyn yn eistedd wrtho. Roedden nhw'n gwisgo togas oren, a modrwyau oren ar un llaw. Llanc tuag ugain oed oedd un ohonyn nhw gyda gwallt melyn, a math o goron ar ei ben. Roedd y dyn arall yn ei bedwardegau ac roedd ganddo wallt byr du. Roedd cadair wag wrth y bwrdd hefyd ac roedd coron yn gorwedd ar y bwrdd o flaen y gadair.

"Dewch i sefyll wrth y bwrdd," gorchmynnodd y dyn â'r gwallt du.

Aeth Huw at y bwrdd.

"Mae'r seiciatrydd Stravo yn dweud eich bod chi'n iach a heini," meddai'r dyn.

"Ond rydych chi wedi cael trawma a thaith hir," meddai'r llanc, dan wenu. "Fe fydd rhaid ichi orffwys am sbel."

Edrychodd Huw ar y dyn gwallt du. Roedd yn amlwg mai fe oedd yn rhedeg y sioe, er gwaethaf y goron ar ben y llanc.

"Fe hoffwn i wybod beth sy'n digwydd," meddai'r Cymro. "Carcharor rhyfel ydw i, ac mae hawliau 'da fi dan Gytundeb Genefa."

Gwenodd y dyn gwallt du yn oeraidd.

"Does dim hawliau 'da chi o gwbl," meddai. "Caethwas ydych chi, nid carcharor rhyfel."

"Gaf i geisio egluro'r sefyllfa?" cynigiodd y llanc yn serchus. "Gyda llaw, Halga ydy f'enw i, a fi yw tywysog Volna. A dyma Kerin, pennaeth y fyddin a'r heddlu. Ond gwell imi ddweud tipyn am Volna..."

Roedd y tywysog yn siarad fel teithlyfr.

"Planed ddur ydy Volna," meddai. "Amser maith yn ôl roedd pobl Volna'n byw ar blaned naturiol, fel eich planed chi, y Ddaear. Yn anffodus roedd haul y system yn marw. Syniad Tamol, tad Kerin, oedd e i adeiladu'r blaned 'ma, a chytunodd fy nhad, y brenin, ag e. Mae Tamol a'r brenin wedi marw erbyn hyn, ond rydyn ni'n dal i fyw ar blaned ddur. Os edrychwch chi'n ofalus fe sylwch chi fod popeth yn ffug yma – yr haul, yr awyr, y cymylau, y planhigion. Mae Volna yn llong ofod enfawr lle gallwn fyw'n ddiogel wrth grwydro'r gofod."

"Mae ymennydd Carmichael yn rhy fach i ddeall y sefyllfa," chwarddodd Kerin yn sydyn.

Trodd Huw ato fe.

"Sut des i yma?" gofynnodd.

"Ar belydren laser," ebe Kerin. "Roeddech chi ar fin marw, ond mae meddygon Volna'n dda. Ar ôl triniaeth fe aethon ni â chi i'r sw, lle cawsoch chi'r profiad gyda'r anifail yn yr afon a'r nadroedd yn y pwll. Ond peidiwch â phoeni. Doedd y nadroedd 'na ddim yn beryglus iawn.

Dim ond gêm oedd hi. Weithiau rydw i'n anfon caethweision neu droseddwyr i mewn i'r sw er mwyn difyrru fy milwyr i. Mae'r Gleision yn hoffi betio arian a dyfalu sut y byddan nhw'n cael eu hanafu – neu eu lladd – gan yr anifeiliaid."

"Gêm...!" Teimlodd Huw ei dymer yn codi. "Roedd dyn du gyda fi. Beth ddigwyddodd iddo fe?"

"Mae e'n iawn," ebe Halga. "Does dim rhaid ichi boeni amdano fe."

"Gaf i ei weld e?"

Siglodd Kerin ei ben.

"Ddim eto," meddai. "Nes ymlaen."

Cododd ei fodrwy oren ac agorodd y drws eto.

"Ewch â fe'n ôl i'r ysbyty," meddai wrth y Gleision.

Roedd y cyfweliad ar ben.

8.

Roedd y dyddiau nesaf yn hapus iawn i Huw Carmichael. Roedd Haza'r nyrs yn gofalu amdano'n dda. Roedd hi'n dod â bwyd a diod blasus iddo. Rhyw fwyd artifisial oedd e, wrth reswm, ond roedd pobl Volna wedi bod yn ei fwyta ers blynyddoedd ac roedden nhw i gyd yn edrych yn eitha iach.

Weithiau byddai Huw yn gadael yr ysbyty ac yn mynd am dro gyda'r corrach Stravo, y seiciatrydd. Yna, byddai'r Cymro'n edrych i fyny ar yr haul ffug oedd yn codi ac yn machlud fel pob haul arall ac yn rhoi dydd a nos i'r blaned.

Esboniodd Stravo fod tri dosbarth yng nghymdeithas Volna. Roedd pobl y toga gwyn yn perthyn i'r dosbarth isaf. Roedd aelodau'r Senedd yn gwisgo toga melyn ac roedd aelodau'r Llys yn gwisgo toga oren. Roedd pob Volnwr yn gwisgo modrwy nerthol ar ei fys yn ôl ei statws. Roedd caethweision ar y blaned hefyd; roedd y Volnwyr wedi dod â nhw o blanedau eraill i wneud y gwaith caled. Hefyd roedd y mwyaf cryf o'r caethweision yn cymryd rhan mewn chwaraeon er mwyn difyrru'r Gleision, oedd yn hoffi betio pwy fyddai'n ennill pob cystadleuaeth. Â help y modrwyau roedd y Volnwyr yn gallu rheoli'r caethweision yn ddidrafferth.

"O ble mae nerth y modrwyau'n dod?" gofynnodd Huw.

"O bwerdy Volna," atebodd Stravo. "Dim ond aelodau'r Llys all fynd i mewn i ystafell reoli'r pwerdy. Mae'r Gleision yn gwarchod y lle."

"Ond dydy'r Gleision ddim yn gwisgo modrwyau," meddai Huw.

"Nac ydyn. Ond mae eu gynnau laser yn fwy pwerus nag unrhyw fodrwy, ac eithrio modrwyon oren y Llys."

Roedd Huw eisiau gwybod pa ran y byddai e'n ei chwarae yng nghynlluniau'r Volnwyr, ond pan ofynnodd e i Stravo fe newidiodd hwnnw'r testun ar unwaith.

Er bod Huw yn mwynhau siarad â Stravo roedd yn well fyth ganddo fod ar ei ben ei hunan gyda'r nyrs brydferth

Haza.

"Dyn bach clyfar ydy Stravo," dywedodd y Cymro wrthi ryw ddiwrnod. "Pam mae seiciatrydd fel fe'n perthyn i ddosbarth isaf Volna?"

Petrusodd Haza am foment.

"Wel," meddai hi. "Amser maith yn ôl fe ymunodd Stravo â grŵp o Volnwyr oedd eisiau glanio ar blaned real a dechrau bywyd newydd yno."

Edrychodd Huw arni gyda diddordeb.

"Beth...goresgyn planed arall?"

Siglodd y ferch ei phen.

"Nage. Nid goresgyn. Mae llawer o blanedau gwag yn y gofod."

"Wel, beth ddigwyddodd?" gofynnodd Huw.

"Roedd Tamol, tad Kerin, yn rheoli Volna ar y pryd. Roedd y brenin wedi marw ac roedd ei blant yn rhy ifanc i reoli. Fe ddarganfu Tamol gynllwyn y grŵp a fe restiodd e'r cynllwynwyr. Yna...wel, fe gawson nhw eu harteithio gan y Gleision. Maen nhw'n dweud bod Stravo'n fawr a golygus cyn yr arteithio, ond wedyn..."

"Dydw i ddim yn deall," meddai Huw. "Pam nad oedd Tamol eisiau dod o hyd i blaned newydd i'r Volnwyr?"

"Roedd Tamol yn meddwl bod Volna yn blaned berffaith," esboniodd y ferch. "Does dim rhyfel yma, dim prinder bwyd, dim..."

"A dyna beth mae ei fab Kerin yn ei feddwl hefyd?" gofynnodd Huw.

"Ie," atebodd Haza'n dawel. "Ac wrth gwrs, fyddai

Kerin a'r Gleision ddim yn medru rheoli planed real fel maen nhw'n rheoli'r blaned fach 'ma."

Cymerodd Huw law'r ferch. Roedd yn amlwg ei bod hi'n ei chael hi'n anodd i adrodd y stori.

"Beth am y cynllwynwyr eraill?" gofynnodd e.

"Fe daflodd y Gleision nhw i mewn i'r sw lle mae'r anifeiliaid gwyllt yn byw," meddai Haza. "Fe fuon nhw farw yno. Wel, mae un ohonyn nhw'n dal yn fyw, ond mae e wedi mynd yn wallgof."

Yr hen ŵr â'r ffon liwgar, meddyliodd Huw.

9.

Deffrodd Huw Carmichael yn sydyn. Roedd rhywun wedi dod i mewn i'r ystafell. Trodd ei ben a gweld un o'r Gleision yn sefyll wrth y drws agored.

"Mae'n rhaid ichi ddod gyda fi," ebe'r plismon. "Gwisgwch hwn."

Roedd e'n cario toga gwyn. Cododd Huw o'r gwely.

"Mae'n well 'da fi wisgo..."

"Gwisgwch hwn!" meddai'r plismon eto.

Roedd gwn laser yng ngwregys y dyn, felly doedd dim llawer o ddewis gan y Cymro. Gallai ymosod ar y plismon cyn i hwnnw dynnu'r gwn, ond beth wedyn? Roedd planed Volna fel carchar mawr.

Gwisgodd e'r toga.

"Dilynwch fi," ebe'r dyn. Doedd e ddim wedi tynnu ei

ddryll; roedd hynny'n arwydd da, meddyliodd Huw.

Roedd car bach tebyg i gar clatsio ffair yn sefyll o flaen yr ysbyty. Doedd dim olwynion ar y car ond pan aethon nhw i mewn iddo symudodd e i ffwrdd yn awtomatig.

"I ble rydyn ni'n mynd?" gofynnodd Huw.

Doedd e ddim yn disgwyl i'r plismon roi ateb iddo, ond y tro yma roedd y dyn yn eitha siaradus.

"I'r stadiwm," meddai. "Mae'r caethweision yn rhoi perfformiad i'r bobl."

"Gyda fi fel seren y sioe?" gofynnodd Huw â gwên eironig.

"Nage, gwestai'r Llys ydych chi."

Edrychodd Huw arno'n syn, ond roddodd y plismon ddim esboniad.

Cyn bo hir roedden nhw wedi cyrraedd adeilad tebyg i theatr fawr.

"Dilynwch fi."

Aethon nhw heibio i ddau o'r Gleision ac i mewn i'r neuadd. Roedd llwyfan yng nghanol y neuadd a channoedd o seddau o'i chwmpas. Roedd y seddau'n llawn o bobl oedd yn gwisgo togas gwyn y bobl gyffredin neu dogas melyn y seneddwyr.

Aeth y plismon â Huw drwy resi'r seneddwyr ac i fyny i falconi oren lle roedd aelodau'r Llys yn eistedd. Trodd y seneddwyr i gyd eu pennau i weld y dieithryn oedd wedi cael anrhydedd mor fawr.

Stopiodd y plismon cyn cyrraedd y balconi ond gwthiodd e Huw ymlaen. Edrychodd y Cymro ar dri aelod y Llys. Roedd e wedi cwrdd â Kerin a Halga o'r blaen. Merch brydferth oedd y trydydd aelod ac roedd hi'n gwisgo'r goron roedd Huw wedi ei gweld yn siambr y Llys y dydd o'r blaen.

Roedd sedd wag wrth ochr y dywysoges.

"Eistedda," ebe'r ferch gan edrych i fyny a gwenu arno.

Aeth coesau Huw Carmichael yn wan. Roedd e'n nabod y llais ac roedd e'n nabod yr wyneb prydferth.

"Haza..." meddai.

10.

Eisteddodd Huw wrth ochr y dywysoges. Cymerodd Haza ei law.

"Rwyt ti'n edrych yn syn," meddai hi.

Cyn iddo allu ateb clywson nhw ffanffer a daeth hanner cant o ddynion ar y llwyfan. Roedden nhw'n gwisgo dillad llwyd.

"Y caethweision," esboniodd y ferch. "Fel arfer maen nhw'n rhoi perfformiad da."

Edrychodd Huw arnyn nhw'n ofalus, ond welodd e mo Karl Majasan. Trodd e at Kerin a gofyn.

"Ble mae fy ffrind Karl?"

Gwenodd pennaeth yr heddlu'n oeraidd.

"Peidiwch â phoeni," meddai. "Fe fydd y dyn du yn ymddangos wedyn."

Roedd y sioe wedi'i threfnu'n dda. Roedd y caethweision yn cystadlu mewn rasys, gêmau a pherfformiadau acrobatig. Sylwodd Huw fod y Gleision yn betio ar bob cystadleuaeth. Roedd e'n synnu gweld y plismyn yn gweiddi'n groch trwy'r sioe.

Ar ben yr awr gadawodd y caethweision y llwyfan a daeth dau ddyn arall i gymryd eu lle. Roedd y dynion yma yn cario cleddyfau a tharianau. Roedd y dyn cyntaf yn ddyn tal enfawr. Karl Majasan oedd y llall.

Gwasgodd Huw law Haza yn gyffrous.

"Beth sy'n digwydd?" gofynnodd.

"Wn i ddim," atebodd y ferch. "Kerin sy wedi trefnu'r sioe."

Roedd y Gleision wedi dechrau betio eto, ac roedden nhw'n gweiddi dros eu dewis: "Vorsor!" neu "Majasan!" Ond sylwodd Huw fod gweddill y gynulleidfa wedi mynd yn dawel iawn.

Clywson nhw'r ffanffer eto, ac yna ymosododd y dyn mawr ar Karl Majasan heb rybudd.

"Vorsor...Vorsor...Vorsor!" gwaeddodd y Gleision.

Roedd Vorsor yn gryf iawn, a phan ddaeth â'i gleddyf i lawr ar darian Karl crynodd y darian a chanu fel cloch eglwys. Wrth lwc roedd y Para'n gyflymach na'r dyn enfawr a llwyddodd i symud allan o berygl. Roedd y chwys ar wynebau'r ddau ddyn yn dangos taw ymladd go-iawn oedd hi.

Trodd Huw Carmichael at y dywysoges a dweud:

"Dyna beth rwyt ti'n ei alw yn sioe? Wyt ti'n mwynhau

gwylio dynion yn lladd ei gilydd?"

Roedd wyneb prydferth Haza'n wyn.

"Nac ydw," protestiodd hi. "Dyna pam rwy wedi dewis gweithio fel nyrs i bobl gyffredin Volna ac i'r caethweision. Doeddwn i ddim yn gwybod dim byd am..."

Ond doedd Huw ddim yn gwrando arni. Roedd e'n gwylio'r ddau ddyn ar y llwyfan.

Ar ôl pum munud roedd yn amlwg fod Vorsor yn dechrau blino a dechreuodd rhai o'r Gleision weiddi am eu ffefryn newydd, "Majasan...Majasan!"

Ond doedd Karl ddim eisiau mynd yn rhy agos at y dyn mawr. Felly roedd e'n dal i ildio tir ac yn gwneud i Vorsor ei ddilyn e. Yna, yn sydyn, taflodd un o'r Gleision hanner dwsin o beli bach i gyfeiriad traed y dyn du.

Trawodd troed Karl yn erbyn un o'r peli a syrthiodd e'n ôl ar ei gefn.

"Vorsor...Vorsor...!" gwaeddodd y Gleision.

Pan welodd e Karl yn cwympo, phetrusodd Huw Carmichael ddim. Neidiodd ar ei draed a rhuthro i lawr y grisiau. Trodd grŵp o'r Gleision a cheisio ei rwystro rhag cyrraedd y llwyfan ond fe drawodd e un i lawr â'i ddwrn a gwthiodd e'r lleill allan o'r ffordd â'i freichiau. Doedd dim ots gan Huw am eu gynnau laser. Roedd y dyn oedd wedi ceisio ei dynnu o bydew'r nadroedd mewn perygl.

Gwelodd e'r dyn enfawr o'i flaen. Roedd Vorsor wedi codi ei gleddyf uwch ei ben. Roedd yn dal i sefyll fel delw pan drawodd ysgwydd Huw Carmichael ei benliniau mewn tacl ardderchog.

"Wwwfff...!"

Crynodd y llwyfan i gyd pan laniodd Vorsor yn drwm ar ei stumog. Neidiodd Huw ar ei draed mewn fflach ac estyn am gleddyf Karl.

"Stopiwch!"

Trodd Huw ac edrych ar Karl yn syn. Roedd y dyn du yn dal ei fraich ac yn ei rwystro rhag defnyddio'r cleddyf.

"Does dim bai ar Vorsor," meddai Karl. "Arnyn nhw mae'r bai!"

Edrychodd Huw i fyny. Roedd y Gleision yn sefyll o'u cwmpas gan anelu eu gynnau laser atyn nhw.

Yna clywodd Huw lais clir uwch yr hwbwb. Llais Halga, tywysog Volna, oedd e.

"Rhowch eich gynnau heibio," gorchmynnodd y tywysog. "Mae'r caethweision yma yn westeion arbennig gan deulu brenhinol Volna."

11.

Roedd Stravo'n sefyll o flaen Kerin, ond doedd e ddim yn edrych arno. Roedd Kerin yn gwybod bod y corrach yn ei ofni ac fel arfer roedd e'n mwynhau codi braw ar y dyn bach.

Ond nawr roedd pethau eraill ar feddwl pennaeth y Gleision. Dwy awr yn ôl, yn y stadiwm, roedd y Tywysog Halga wedi rhoi gorchymyn i'r Gleision am y tro cyntaf yn ei fywyd. Gwaeth fyth, roedd y Gleision wedi ufuddhau i'r tywysog.

"Seiciatrydd ydych chi, Stravo," ebe Kerin. Roedd ei wyneb yn ddifrifol.

"Ie…?"

"Esboniwch wrtho i pam y mentrodd Carmichael ei fywyd i achub bywyd Majasan. Pan ddaethon ni â nhw o'r Ddaear roedden nhw ar fin lladd ei gilydd."

"Ond wedyn, yn y sw, roedd rhaid iddyn nhw helpu ei gilydd," meddai'r corrach. "Fe ddaethon nhw'n ffrindiau."

"Maen nhw'n westeion gan y teulu brenhinol," sylwodd Kerin yn oeraidd. "Allan nhw achosi trafferth i mi? A pheidiwch â dweud celwydd wrtho i!"

Roedd ei lygaid yn syllu ar wyneb Stravo trwy'r amser.

"Mae Karl Majasan yn awyddus i ddychwelyd i'r Ddaear," atebodd y dyn bach. "Ond wrth gwrs, chi sydd i benderfynu pethau fel yna, Kerin."

"Ie," meddai Kerin yn hapus. "Fi, mewn gwirionedd, sy'n rheoli'r Llys a'r Senedd. Fe fydd y dyn du yn aros yma. Ond beth am Carmichael? Rydw i wedi clywed bod Haza wedi syrthio mewn cariad ag e."

Cododd y corrach ei ysgwyddau.

"Os ydy Haza eisiau priodi caethwas fe fydd rhaid iddi hi adael y Llys," meddai.

Gwenodd Kerin. Roedd y corrach yn iawn. Petai'r Dywysoges Haza yn gadael y Llys gallai Kerin benodi un o'r Gleision i gymryd ei lle. Felly doedd dim problem o gwbl.

Ond roedd Kerin yn ddyn gofalus. Roedd dau berson newydd wedi dod i mewn i fywydau Haza a Halga. Roedd y ddau berson yna wedi dod â syniadau newydd hefyd.

"Rydw i eisiau i chi gadw llygad arnyn nhw," meddai wrth y corrach. "Ac os na ddywedwch chi bopeth wrtho i, fe fydd y Gleision wrth eu bodd yn dyfeisio cosb addas ichi..."

Pan adawodd Stravo swyddfa Kerin roedd wyneb y dyn bach yn wyn.

Yn y cyfamser roedd y tri chaethwas arbennig, Huw Carmichael, Karl Majasan a'r dyn mawr Vorsor wedi cael eu symud i adeilad yng ngerddi'r palas brenhinol.

Dyn cryf oedd Vorsor ond roedd ei feddwl yn araf a doedd e ddim yn siarad llawer. Roedd e'n gwrando ar y ddau arall yn trafod eu sefyllfa ar Volna ond doedd e ddim yn gallu eu helpu i ddatrys eu problemau.

Problem fwya Karl oedd sut i ddychwelyd i'r Ddaear cyn gynted â phosibl. Ond pan soniodd e am y mater wrth y tywysog, roedd Halga'n awyddus i siarad am bethau eraill.

"Mae pawb ar y blaned 'ma yn ofni Kerin," cwynodd Karl wrth Huw. "Hyd yn oed Halga a Haza."

Roedd e'n dweud y gwir. Er bod dwy bleidlais yn y Llys gan Halga a Haza a dim ond un gan Kerin, doedden nhw ddim yn gallu ei wrthwynebu e.

"Mae gan Kerin lawer o brofiad," esboniodd Haza

wrth Huw un diwrnod. "Mae e'n rhy glyfar i ni. Mae pobl Volna'n gwybod mai Kerin sy'n rheoli'r blaned ac maen nhw'n ymddiried ynddo fe."

Doedd Huw ddim mor siŵr. Roedd pobl Volna'n ofni Kerin a'r Gleision. Doedden nhw ddim yn eu caru nhw. Roedd Halga a Haza'n llawer mwy poblogaidd gyda'r senedd a'r bobl gyffredin.

"Mae'n rhaid i'r ddau ohonoch chi wrthwynebu Kerin," meddai Huw wrth Haza. "Dim ond dyn yw e."

Siglodd y ferch ei phen.

"Mae pawb yn cofio Tamol, tad Kerin," atebodd hi. "Wnân nhw byth anghofio ei greulondeb."

Ceisiodd Huw siarad â Stravo am y mater, ond gallai weld yr ofn yn llygaid y corrach ac roedd e'n cofio geiriau Haza: "Roedd Stravo'n fawr a golygus cyn yr arteithio."

Doedd Stravo ddim eisiau siarad am Kerin ac roedd Huw yn deall pam.

Yna un diwrnod galwodd y Tywysog Halga am Karl ac esboniodd gynllun rhyfedd iddo fe...

12.

Haza ddaeth â'r newyddion i Huw Carmichael.

"Mae'r gwyddonwyr yn dweud ein bod ni'n agosáu at blaned sydd ag awyrgylch addas i ni," meddai hi. "Mae Halga wedi penderfynu gadael Volna mewn llong ofod ac ymweld â'r blaned yna!"

Edrychodd Huw arni'n syn.

"Beth – does dim ofn arno fe?" gofynnodd.

"Nac oes. Mae fy mrawd wedi bod yn siarad â Karl Majasan. Mae Karl wedi dweud popeth wrth Halga am eich planed chi – am y goedwig go-iawn lle mae e'n byw gyda'i wraig a'i blentyn. Am yr anifeiliaid sy'n crwydro'n rhydd yn y goedwig. Am ei bentref, am y glaw..." Gwenodd hi'n drist. "Does dim glaw ar Volna, Huw."

Roedd Huw Carmichael yn gwrando arni gyda diddordeb.

"Mae Halga wedi gofyn i Karl fynd gyda fe," meddai'r dywysoges.

"A beth ydy ateb Karl?"

"Mae e wedi derbyn y cynnig. Mae Karl yn hiraethu am ei deulu yn Aff..."

"Affrica," meddai Huw.

"Ie." Roedd ei llygaid yn disgleirio erbyn hyn. "Os bydd y fenter yn llwyddiannus, bydd Halga yn ceisio helpu Karl i ddychwelyd i'r Ddaear."

"Beth amdana i?" gofynnodd Huw. "Fe hoffwn i fynd gyda nhw i weld y blaned arall."

"O na...!" Roedd ofn yn llygaid y ferch. Cymerodd hi ei law. "Wyt ti eisiau dychwelyd i'r Ddaear hefyd?" gofynnodd hi mewn llais nerfus.

Chwarddodd Huw yn uchel.

"Wyt ti wedi drysu, Haza?" meddai. "Fydda i byth yn

dy adael di!"

"O, Huw..." Daeth ato a'i gusanu ar ei dalcen. "Dydw i ddim eisiau i ti fentro dy fywyd di."

Meddyliodd Huw am eiriau'r ferch... Roedd Karl yn gobeithio cael tâl am ei waith – ei ryddid. Roedd Haza'n iawn; doedd dim rhaid iddo fentro ei fywyd am ddim.

Eisteddodd Haza wrth ei ochr.

"Huw...?"

"Ie?"

"Dwyt ti ddim wedi siarad â fi am dy fywyd ar y Ddaear. Oes rheswm am hynny?"

"Doeddwn i ddim yn hapus ar y Ddaear," atebodd Huw. "Wel, roeddwn i'n meddwl fy mod i'n hapus, nes i fi dy gyfarfod di, Haza..."

Gwenodd y ferch.

"Ond mae'n rhaid iti siarad â fi am dy blaned di, Huw," meddai hi. "A chofia, rydw i eisiau gwybod popeth."

Edrychodd y Cymro ar wyneb hardd, diniwed Haza, a phetrusodd am foment. Doedd e ddim eisiau sôn am bethau drwg y Ddaear – y rhyfeloedd, yr anghyfiawnder, newyn y Trydydd Byd. Ond yna aeth ei feddwl yn ôl i'w blentyndod pan oedd e'n mynd gyda'i chwaer i'r eglwys a'r ysgol Sul.

Dyna sut y dechreuodd Huw Carmichael adrodd storïau'r Beibl wrth y Dywysoges Haza.

13.

Roedd y Tywysog Halga'n teimlo'n nerfus iawn. Am y tro cyntaf yn y Llys roedd e'n awgrymu cynllun oedd yn groes i bolisïau Kerin. Doedd e ddim wedi cysgu trwy'r nos. A fyddai e'n gallu dibynnu ar ei chwaer Haza? A fyddai'r dywysoges yn ei gefnogi yn y Llys?

Gwrandawodd Kerin ar eiriau'r tywysog mewn distawrwydd. Esboniodd Halga ei fod e'n bwriadu glanio ar y blaned newydd er mwyn gweld a fyddai'n bosibl i'r Volnwyr ddechrau bywyd newydd yno.

Edrychodd Haza ar Kerin tra oedd ei brawd yn siarad. Doedd wyneb Kerin yn dangos dim.

Pan eisteddodd Halga i lawr o'r diwedd, cododd Kerin ar ei draed. Doedd dim byd yn newydd iddo yn sgwrs y tywysog. Roedd Stravo'r corrach wedi dod â'r stori iddo'n barod.

"Ewch ymlaen â'r fenter, Halga," meddai'n sychlyd. "Ond cofiwch gyngor fy nhad Tamol: fydd y Volnwyr ddim yn gallu addasu i fywyd ar blaned go-iawn. Fe fydd yn well ganddyn nhw aros yma lle maen nhw'n ddiogel."

Edrychodd Halga a Haza ar Kerin yn syn. Dim protest, dim dicter, dim dadl. Yn sydyn trodd Kerin a mynd at y drws. Cyn mynd allan trodd yn ôl a dweud:

"Rwy'n dymuno pob lwc ichi, Halga. Does ond gobeithio na fyddwch chi'n colli'ch dewrder ar ôl glanio ar y blaned 'na..."

Cododd y llong ofod yn araf. Roedd cramen ddur Volna wedi agor uwchben y Tywysog Halga a Karl Majasan. Doedd dim sŵn o gwbl. Roedd pŵer y llong yn dod o bwerdy canolog Volna.

Edrychodd Karl drwy ffenestr y llong. Roedden nhw wedi mynd trwy'r gramen erbyn hyn ac roedd y sêr yn disgleirio o'u hamgylch nhw. Rhwbiodd Halga ei lygaid.

"Karl," meddai'n gyffrous. "Mae'n fendigedig!"

Ddywedodd Karl ddim byd.

"Mae dy brif seren di, yr haul, yno yn rhywle," ebe'r tywysog.

Nodiodd Karl ei ben. Roedd e'n meddwl yr un peth.

Doedd dim rhaid iddyn nhw weithio ar y llong ofod. Roedd gwyddonwyr Volna yn rheoli popeth o'r pwerdy.

"Dyna'r blaned newydd," ebe Karl yn sydyn, a throdd Halga ei ben i edrych.

"O..."

Roedd y blaned yn wyrdd a glas ac roedd cylch porffor o'i chwmpas. Doedd Karl ddim yn gallu teimlo'r llong ofod yn symud, ond roedd y blaned o'u blaen nhw'n tyfu bob eiliad.

Yn fuan roedden nhw'n gallu gweld tir a môr, mynyddoedd a chymylau. Trodd Halga ei ben a gwelodd Karl fod dagrau yn llygaid y tywysog.

"O, Karl...Diolch am bopeth. Hebddoch chi fyddwn i byth wedi medru gadael Volna."

Gwenodd Karl arno. A hebddoch chi, Halga, fyddai dim siawns 'da fi i weld fy nheulu eto, meddyliodd.

Roedd y tywysog yn edrych ar oleuadau'r panel o'i flaen e.

"Mae'r llong yn arafu," meddai wrth Karl. "Fe fyddwn ni'n glanio ymhen ychydig o eiliadau."

Yn sydyn crynodd y llong.

"Beth sy'n digwydd?" gofynnodd Halga'n nerfus.

Aeth popeth yn ddistaw. Teimlodd Karl ei stumog yn troi. Roedd y llong yn disgyn fel carreg...

14.

Pan ddeffrodd Karl Majasan roedd e'n gorwedd mewn tywyllwch. Roedd cur pen ganddo a doedd e ddim yn meddwl yn glir. Roedd yn cofio'r llong ofod yn disgyn, ond oedd e wedi breuddwydio popeth? Tric arall gan Kerin oedd hwn?

Yna clywodd e rywun yn griddfan ac yn galw ei enw.

"Karl..." Llais y Tywysog Halga oedd e.

"Ie?"

"Rydw i mewn poen ofnadwy. Rwy'n meddwl fy mod i wedi torri fy nghefn!"

Cododd y dyn du ar ei draed yn ofalus.

"Peidiwch â symud," meddai wrth y tywysog.

Dechreuodd Karl chwilio am ddrws y llong. Roedd ei lygaid wedi dod yn gyfarwydd â'r tywyllwch erbyn hyn. Cyrhaeddodd y drws a phwyso ar fotwm er mwyn ei agor â thrydan. Ddigwyddodd dim byd. Wrth lwc roedd modd agor y drws â llaw. Gwthiodd e'r bar ac agorodd y drws yn ddidrafferth. Daeth golau dydd i mewn.

"Mae syched arna i," meddai Halga'n wan.

"Fe af i i nôl dŵr," atebodd Karl. "Fe fydd rhaid i chi aros yma nes imi ddod 'nôl."

"Ond mae dŵr a bwyd yn y llong," meddai'r tywysog.

Siglodd Karl Majasan ei ben.

"Does dim trydan ar ôl y glaniad," meddai "Does dim byd yn gweithio. Fe fydd rhaid i fi fynd allan i nôl dŵr ichi."

Rhedai chwys i lawr wyneb y tywysog.

"Karl..."

"Ie?"

"Os digwydd ichi gwrdd â Kerin eto, dywedwch wrtho na chollais i mo 'newrder..."

Derbyniodd Kerin y newyddion am y ddamwain heb emosiwn. Roedd e wedi paratoi popeth yn dda. Fyddai neb yn gallu dweud mai fe oedd yn gyfrifol am farwolaeth Halga a'r caethwas du. Byddai'r gwyddonwyr yn ei amau efallai, ond fydden nhw ddim yn mentro dweud dim byd.

Felly roedd e wedi cael gwared o un o aelodau'r Llys. Byddai'n rhaid i aelod newydd gymryd ei le. Ond pwy? Petai e'n dyrchafu un o'r Gleision byddai'r Gleision i gyd yn mynd yn uchelgeisiol, a byddai hynny'n beryglus.

Aeth i gydymdeimlo â'r Dywysoges Haza am farwolaeth ei brawd, ond a dweud y gwir roedd meddwl Kerin ar bethau pwysicach o lawer.

15.

"Dewch i mewn, Stravo."

Caeodd y corrach y drws y tu ôl iddo. Roedd Kerin yn gwenu, ond roedd golau oer yn ei lygaid.

"Wel, dewch yma."

Aeth Stravo at y ddesg. Roedd Kerin yn dal rhyw bapurau yn ei law.

"Eisteddwch, Stravo."

Eisteddodd y corrach, ond arhosodd Kerin ar ei draed. Yn sydyn taflodd e'r papurau ar y ddesg o flaen y dyn bach.

"Felly, ci tawel ydych chi, Stravo," meddai'n sychlyd. "Chi ysgrifennodd y llythyrau 'ma?"

Doedd dim rhaid i'r corrach edrych arnyn nhw. Nodiodd ei ben yn nerfus.

"Ie," meddai mewn llais gwan.

Cododd Kerin ddarn o bapur a dechrau darllen:

"Annwyl Haza, golau fy mywyd tywyll, rwy'n breuddwydio am ddal dy law, am gyffwrdd â'th gorff, am..."

"Stopiwch!" Roedd llais Stravo'n crynu.

Chwarddodd Kerin yn uchel.

"Fe ddaeth y Gleision o hyd i'r sbwriel 'ma yn eich desg, Stravo. Ydy'r dywysoges wedi'u gweld nhw eto?"

"Nac ydy."

Eisteddodd Kerin y tu ôl i'w ddesg.

"Rydych chi mewn cawl, Stravo," meddai'n ddifrifol.

Edrychodd y corrach arno'n ofnus.

"Pam?" erfyniodd. "Roeddwn i'n breuddwydio, dyna'r cwbl."

Siglodd Kerin ei ben.

"Rydych chi wedi ceisio bradychu'r Volnwyr unwaith yn barod," meddai'n oeraidd. "A nawr rydych chi'n ysgrifennu llythyrau serch at aelod o'r Llys. Wel, ystyriwch eich ffrind sy'n gofalu am y nadroedd yn y sw, Stravo. Ai dyna'r lle rydych chi eisiau gorffen eich bywyd?"

"Mae'n ddrwg gen i, Kerin."

Agorodd Kerin ddrôr y ddesg a rhoi'r llythyrau heibio.

"Mae un siawns 'da chi, Stravo," meddai.

"Beth?" gofynnodd y corrach yn awyddus.

"Mae'n rhaid ichi berswadio'r caethwas Carmichael i fynd mewn llong ofod i chwilio am gyrff ei ffrind Karl Majasan a'r Tywysog Halga!"

16.

Roedd y Dywysoges Haza ar bigau'r drain ar ôl clywed bod Huw Carmichael yn mynd i adael Volna a chwilio am y Tywysog Halga a Karl.

"Mae'n rhaid imi fynd," ebe Huw wrthi. "Fe ddaeth Stravo ac fe esboniodd e bopeth wrtho i. Rwy'n ymddiried yn Stravo. Fel mae e'n ei ddweud, mae'n bosibl fod Halga a Karl yn fyw."

Roedd dagrau yn llygaid y dywysoges brydferth.

"Ond fe fyddi di'n mentro dy fywyd, Huw," meddai hi. "Rydw i wedi colli brawd ar y blaned 'na, dydw i ddim eisiau dy golli di hefyd."

Cymerodd Huw ei llaw.

"Rwyt ti'n meddwl fel yna achos mai Volnes wyt ti, Haza," meddai. "Mae bywyd yn rhy ddiogel ar Volna. Weithiau mae'n rhaid mentro er mwyn ennill."

"Ennill beth?" gofynnodd Haza. "Mae pawb yn dweud bod Halga a Karl wedi marw."

"Dydy Stravo ddim yn eu credu."

"Stravo!" meddai Haza'n ddig. "Gwas Kerin ydy Stravo. Wyt ti ddim wedi sylwi ar y newid yn Stravo? Fe fydd e'n gwisgo dillad y Gleision cyn bo hir."

Cododd Huw ei ysgwyddau.

"Dyn bach gwan ydy Stravo," meddai. "Ond mae e'n ddewrach na'r Volnwyr eraill. Rwy'n meddwl bod ganddo gyfrinach, rhyw uchelgais – ond wn i ddim beth."

"Mae e eisiau bod yn seneddwr," meddai Haza'n wawdlyd.

"Efallai." Roedd Huw yn awyddus i droi'r stori. "Fydda i ddim ar fy mhen fy hunan ar y daith. Fe fydd Vorsor gyda fi."

"Yr un a geisiodd ladd Karl yn y gampfa?" ebe Haza'n syn.

"Ie, ond maen nhw'n ffrindiau erbyn hyn."

Ffrindiau...meddyliodd y ferch yn chwerw. Doedd hi ddim yn deall Huw Carmichael o gwbl.

Cyrhaeddodd y llong ofod y blaned newydd heb drafferth. Roedd gwyddonwyr Volna wedi dod o hyd i long Halga a Karl â'u pelydrau laser, felly glaniodd Huw a'r cawr Vorsor ar dir gwastad nid nepell o long y tywysog.

Roedd blwch o gapswlau ym mhoced Huw. Byddai'n rhaid iddo gymryd un ohonyn nhw cyn gadael y llong ofod. Yn ôl y gwyddonwyr byddai'r capswl yn ei amddiffyn rhag unrhyw wenwyn a allai fod yn awyrgylch y blaned.

Trodd Huw at Vorsor a gofyn, "Tybed pam na ddefnyddiodd Kerin belydryn laser i ddod â Halga'n ôl i Volna?"

Meddyliodd Vorsor am funud, yna siglodd ei ben.

"Wn i ddim," meddai.

Agorodd Huw y blwch a llyncodd un o'r capswlau.

Aeth allan trwy'r drws. Roedd rhaid iddo fynd i lawr hanner dwsin o risiau. Gwelodd e'r llong arall ryw ganllath i ffwrdd. Roedd rhywun yn sefyll o flaen y llong, ond roedd yr haul yn tywynnu yn llygaid Huw a doedd e ddim yn gallu ei weld yn iawn.

Dechreuodd e gerdded ar y ddaear feddal. Roedd yr haul yn gryf. Erbyn hanner ffordd roedd e'n teimlo'n flinedig iawn ac roedd ei goesau'n wan. Roedd y dyn arall wedi dechrau symud hefyd.

Rhwbiodd Huw y chwys o'i lygaid. Am ryw reswm roedd lliwiau'r awyr a'r ddaear yn newid ac yn tywyllu. Roedd rhaid iddo wneud ymdrech i gerdded yn syth.

"Karl?" gwaeddodd. "Beth sy'n digwydd? Dydw i ddim yn teimlo'n dda o gwbl."

Clywodd e lais ond ddeallodd e mo'r geiriau. Roedd e'n gallu clywed camau'r dyn arall ar y ddaear fel sŵn drwm.

Cododd Huw ei ben ac edrych ar wyneb y dyn. Yna dechreuodd ei galon guro'n gyflym. Nid dyn oedd e ond anghenfil!

Estynnodd yr anghenfil ei law ond gwthiodd Huw y llaw i ffwrdd.

"Ble mae Karl?" gwaeddodd y Cymro.

Gwenodd yr anghenfil arno a chollodd Huw ei dymer yn llwyr. Roedd y peth yma yn gwisgo dillad Karl Majasan. Mwy na thebyg roedd e wedi lladd Karl a'r Tywysog Halga hefyd. Cododd Huw ei ddwrn a rhoi ergyd caled i wyneb yr anghenfil.

Syrthiodd hwnnw i'r ddaear ac estynnodd Huw am ei gyllell. Ond doedd dim cyllell ganddo fe! Sut roedd e'n mynd i ladd yr anghenfil? Yna cofiodd fod Vorsor yn aros amdano yn y llong ofod. Dechreuodd gicio'r corff ar y ddaear a gweiddi am help ar yr un pryd.

"Vorsor...Vorsor!"

Teimlodd e rywun yn dal ei ysgwyddau o'r tu ôl. Trodd yn gyflym a gweld ail anghenfil yn ei wynebu. Ceisiodd ei ryddhau ei hunan ond roedd yr ail anghenfil yn rhy gryf iddo. Syrthiodd ar ei benliniau o dan bwysau ei ymosodwr. Roedd rhywbeth o'i le. Roedd e wedi colli ei nerth i gyd.

"Vorsor...Vorsor!"

Roedd ei wyneb yn y llwch erbyn hyn. Doedd e ddim yn gallu symud o gwbl. Yna dechreuodd Huw wylo fel baban.

17.

"Fe hoffwn i wybod beth sy wedi digwydd," ebe Haza.

Trodd Kerin ac edrych arni. Roedd dau ddyn, Huw Carmichael a Stravo, wedi syrthio mewn cariad â'r dywysoges ond doedd prydferthwch Haza ddim yn gwneud argraff ar bennaeth y Gleision o gwbl.

"Mae pawb yn gwybod beth sy wedi digwydd," atebodd Kerin yn sychlyd. "Roedd camera yn llong Vorsor a Carmichael. Mae'r camera wedi recordio popeth ac wedi anfon y lluniau yn ôl i Volna."

Eisteddodd Haza'n drwm mewn cadair freichiau. Aeth Kerin yn ei flaen.

"Pan gyrhaeddodd eich ffrind Carmichael y llong arall fe geisiodd e ladd Karl Majasan. Mwy na thebyg roedd e'n bwriadu lladd eich brawd chi hefyd. Wrth lwc fe welodd Vorsor beth oedd yn digwydd ac aeth i'w helpu nhw. Vorsor a achubodd eu bywydau nhw."

Siglodd Haza ei phen yn drist.

"Ond pam roedd Huw eisiau lladd fy mrawd?" gofynnodd hi.

"Pwy a ŵyr? Dyna'r math o bobl sy'n byw ar y

Ddaear. Anifeiliaid ydyn nhw."

Allai Haza ddim protestio. Doedd hi ddim yn deall dim byd.

"Beth fydd yn digwydd nawr?" gofynnodd yn dawel.

"Wel, mae ein gwyddonwyr wedi dod â nhw'n ôl i Volna ar belydryn laser," atebodd Kerin. "Mae'r Tywysog Halga'n sâl iawn ond mae'r meddygon yn hyderus y bydd e'n gwella'n llwyr yn y pen draw."

Roedd hynny'n fêl i glustiau'r dywysoges. Ond roedd rhywbeth arall ar ei meddwl.

"Beth am Huw Carmichael?" gofynnodd. "Ydych chi'n mynd i'w gosbi e?"

Gwenodd Kerin yn sydyn.

"Nac ydw," meddai'n hael. "Mae e wedi dioddef digon yn barod."

Edrychodd Haza arno'n syn.

"Beth rydych chi'n feddwl?" gofynnodd.

"Fe ddigwyddodd rhywbeth rhyfedd i feddwl Carmichael ar y blaned 'na," esboniodd Kerin. "Gobeithio y bydd hynny'n rhybudd i'r bobl eraill sy eisiau inni lanio ar y blaned newydd a dechrau bywyd newydd yno..."

"Dewch i mewn," meddai Stravo wrth y cawr Vorsor.

Aeth Vorsor i mewn i'r swyddfa.

"Oes rhywbeth yn eich poeni chi?" gofynnodd Stravo. Edrychodd y corrach ar y cloc ar y wal. Roedd e'n mynd i gyfarfod Kerin yn y Llys ymhen pum munud.

Edrychodd Vorsor i lawr ar Stravo.

"Chymerais i mo'r capswl," meddai'n araf.

"Beth?"

"Y capswl...Fe roddodd y gwyddonwyr gapswlau inni...Fe gymerodd Huw gapswl ond...pan adawais i'r llong ofod, chymerais i ddim capswl."

"Wel?" gofynnodd y corrach.

Roedd y cawr yn chwilio am eiriau.

"Y capswl a wnaeth i Huw wylltio," meddai o'r diwedd. "Nid y blaned." Eisteddodd Stravo'n ôl yn ei gadair. Roedd e'n deall popeth nawr. Roedd Kerin wedi anfon Huw Carmichael i'r blaned newydd nid er mwyn achub bywydau Halga a Karl Majasan ond er mwyn gwneud i'r Volnwyr feddwl bod y blaned yn lle drwg a digroeso. Roedd gwybodaeth y cawr yn beryglus iawn.

"Vorsor," meddai.

"Ie?"

"Peidiwch â dweud dim byd wrth neb am y capswlau, neu fe fydd y Gleision yn mynd â chi i ffwrdd ac yn eich taflu chi i'r nadroedd. Ydych chi'n deall? Dim byd wrth neb!"

18.

Roedd Kerin yn dal i fod mewn tymer dda pan gyrhaeddodd y corrach ei swyddfa.

"A, Stravo," meddai. "Mae newyddion da ar bob ffrynt. Fe fydd Carmichael yn barod i adael yr ysbyty cyn bo hir. Wedyn fe fydd rhaid iddo siarad yn gyhoeddus â'r Volnwyr i gyd am ei brofiad ar y blaned newydd." Chwarddodd yn uchel. "Ar ôl hynny fe fydd y Volnwyr yn colli eu diddordeb mewn anturiaethau!"

Aeth at y dyn bach a rhoi ei law ar ei ysgwyddau.

"Chi a anfonodd Carmichael a Vorsor i'r blaned newydd," meddai. "Nawr rydw i am roi gwobr ichi am eich cymorth."

Edrychodd Stravo arno.

"Rwy eisiau un peth yn unig," meddai. "Llaw y Dywysoges Haza."

Crafodd Kerin ei ên.

"Fe fydd hynny'n dibynnu ar Haza ei hunan," atebodd. "Ond fe alla i eich helpu chi ar y ffordd."

Agorodd e ddrôr ei ddesg a thynnu blwch bach allan. Agorodd e'r blwch a dangos modrwy oren i'r corrach.

"Gwisgwch hi," meddai wrth Stravo. "Tra bydd Halga i ffwrdd fe gewch chi eistedd yn ei sedd yn y Llys."

Estynnodd Stravo'n nerfus am y fodrwy.

"Yn y cyfamser," ebe Kerin, "fe siarada i â Haza ar eich rhan chi."

Pan glywodd Haza fod Stravo wedi gofyn am ei llaw hi aeth ei gwaed yn oer.

"Rwy'n caru Huw Carmichael," meddai wrth Kerin.

Cododd Kerin ei ysgwyddau.

"Does dim ots 'da *fi,*" sylwodd yn rhesymol. "Ond os ydych chi'n dewis y caethwas fe fydd rhaid ichi roi'r gorau i wisgo toga oren."

"Rwy'n dewis Huw, felly," ebe Haza'n gadarn.

"Iawn, a phob lwc ichi," meddai Kerin gan wenu'n oeraidd.

Doedd Haza ddim yn hoffi'r wên yna o gwbl.

"Ydych chi'n mynd i ryddhau Huw?" gofynnodd hi'n eiddgar.

"Wrth gwrs," atebodd Kerin yn ddymunol. "Heb ffrindiau yn y Llys fydd e ddim yn beryglus i neb."

19.

"Dydw i erioed wedi'ch gweld chi mewn tymer mor ddrwg, Stravo," sylwodd Kerin.

Roedd pennaeth yr heddlu newydd ddweud wrth y corrach bod y Dywysoges Haza wedi gwrthod ei gynnig i'w phriodi.

Roedd Stravo'n cerdded o gwmpas yr ystafell fel anifail mewn cawell. Roedd Kerin yn teimlo fel chwerthin; doedd y seiciatrydd bach ddim yn gallu rheoli ei deimladau ei hunan o gwbl.

"Gwrthod priodi ag aelod o'r Llys," meddai Stravo'n grac. "Dewis caethwas, wir!"

"Gan bwyll, Stravo," ebe Kerin yn rhesymol. "Tywysoges ydy Haza, ond merch ydy hi hefyd. Fe ddylai seiciatrydd fel chi wybod nad ydy merched ddim yn meddwl yn glir."

Roedd wyneb y corrach yn goch, ac roedd atal dweud arno.

"Car...Carmichael sy'n gyfrifol am hyn," meddai. "Fe sy wedi troi pen y dywysoges."

Chwarddodd Kerin yn uchel. Doedd e ddim yn hoffi Huw Carmichael chwaith.

"Mae'r ateb yn syml," dywedodd wrth y dyn bach. "Gadewch inni ei anfon e'n ôl i'w blaned ei hunan."

"Na," meddai Stravo dan siglo ei ben. "Fe allai Haza ei alw e'n ôl i Volna ryw ddiwrnod." Syllodd ar wyneb Kerin. "Mae'n rhaid i Carmichael farw!"

Edrychodd Kerin arno'n syn.

"Rydych chi'n llawn casineb, Stravo."

"Ydw. Dydy'r fodrwy oren ddim yn golygu dim byd i fi heb Haza wrth fy ochr."

Cododd Kerin ei ysgwyddau.

"Rydyn ni newydd ryddhau Carmichael a Majasan," meddai.

"Fe fydd rhaid inni eu restio eto."

"Fydd hynny ddim yn hawdd," meddai Kerin. "Mae Haza wedi gadael y Llys, ond mae hi'n dal yn boblogaidd gyda'r bobl gyffredin ac yn y senedd hefyd."

Gwenodd Stravo'n sydyn.

"Ond pe bai'r seneddwyr yn gwybod bod Haza wedi torri cyfraith Volna..." meddai.

"Torri'r gyfraith?" Doedd Kerin ddim yn deall.

"Ie. Mae Haza wedi bod yn trafod crefydd gyda'r caethwas Carmichael. Mae e wedi adrodd storïau wrthi sy'n dod o hen lyfrau crefyddol planed y Ddaear. Ond fe ddywedodd eich tad Tamol..."

Doedd dim rhaid i'r corrach fynd ymlaen. Roedd Tamol wedi gwahardd pob sôn am grefydd ar y blaned ddur. Roedd e wedi lladd llawer o bobl oedd wedi ceisio aros yn ffyddlon i'w crefydd. Roedd Stravo'n iawn; roedd rhaid iddyn nhw weithredu'n gyflym.

"Beth am y dyn du – Majasan?" gofynnodd Kerin.

"Fe fydd rhaid i ni ei anfon e yn ôl i'r Ddaear," atebodd Stravo.

"Heb ei ladd e?"

"Heb ei ladd e, Kerin," ebe Stravo dan wenu'n oeraidd. "Weithiau mae'n well dangos tipyn o drugaredd!"

Daeth y Gleision i nôl Huw a Karl yn ystod y nos. Roedd Haza am orchymyn i wylwyr y palas brenhinol ymladd yn erbyn y Gleision ond roedd Huw yn anghytuno.

"Does dim pwynt," meddai wrth y ferch. "Fe allai gynnau laser y Gleision ddinistrio'r palas i gyd."

Fore trannoeth daeth y cawr Vorsor i weld y dywysoges. Roedd Haza wedi wylo trwy'r nos ac roedd ei llygaid yn goch.

"Rydw i wedi clywed am...neithiwr," ebe Vorsor yn araf. "Rydw i eisiau rhoi help ichi."

Cymerodd y ferch law cryf y dyn mawr.

"Diolch, Vorsor," meddai hi. "Ond all neb helpu. Mae Kerin a Stravo'n rhy glyfar ac yn rhy bwerus i ni."

Syllodd y cawr ar wyneb prydferth y dywysoges.

Stravo, meddyliodd. Stravo…

Roedd neuaddau'r Llys yn dywyll iawn y noson honno. Roedd popeth yn dawel, ac roedd y Gleision yn ymlacio yn eu hystafelloedd. Clywodd Vorsor nhw'n chwerthin wrth iddo fynd heibio ar hyd y coridor hir.

Cyrhaeddodd e ddrws â'r enw STRAVO arno. Aeth i agor y drws ond yna clywodd sŵn camau yn dod ar hyd y coridor. Aeth i ymguddio yn y cysgodion. Daeth dyn at y drws. Un o'r Gleision oedd e. Oedd e'n mynd i aros yno trwy'r nos?

Estynnodd Vorsor ei fraich hir a chael gafael ar wddf y milwr. Doedd e ddim eisiau lladd neb, ond roedd rhaid iddo weld y corrach Stravo. Tynnodd y milwr ato a rhoi ergyd caled ar ochr ei ben. Syrthiodd y dyn i'r llawr yn anymwybodol.

Yn y cyfamser roedd Stravo wedi codi o'i wely. Roedd e wedi clywed sŵn. Gwelodd e ddrws yr ystafell yn agor; yna ymddangosodd ffigur enfawr Vorsor o'i flaen e.

"Ffŵl ydych chi, Vorsor," ebe'r corrach wrtho. "Dydw i ddim yn mynd i adael i chi ddistrywio fy nghynlluniau i."

Anelodd ei fys at y cawr a throi'r botwm ar y fodrwy oren.

"Aaa…" gwaeddodd Vorsor; yna syrthiodd yn drwm i'r llawr.

20.

Sylwodd Kerin fod agwedd y corrach wedi newid eto ar ôl i Vorsor dorri i mewn i'w ystafell breifat. Roedd y fodrwy oren wedi rhoi dewrder i Stravo am sbel ond erbyn hyn roedd yr hen ofn i'w weld yn ei lygaid unwaith eto.

Roedd Kerin yn deall yn iawn. Roedd Stravo wedi bod yn boblogaidd gyda phawb, ond ers iddo gymryd lle'r Tywysog Halga yn y Llys roedd llawer o seneddwyr yn teimlo'n eiddigeddus o'r dyn bach.

Edrychai Stravo yn fwy nerfus bob dydd. Roedd yn amlwg nad oedd e'n edrych ymlaen at weld Huw Carmichael a Karl Majasan ar brawf o flaen y senedd.

"Mae'n drueni nad ydyn ni'n gallu dienyddio Carmichael heb gytundeb y senedd," cwynodd y corrach wrth Kerin.

"Dim siawns," atebodd pennaeth y Gleision. "Dim ond y senedd sy'n gallu dedfrydu rhywun i farwolaeth."

"Ond caethwas ydy Carmichael."

"Nage," ebe Kerin gan siglo'i ben. "Nid caethwas cyffredin. Rhoddodd Haza'r toga gwyn iddo y diwrnod yr aeth e i'r stadiwm. Oeddech chi wedi anghofio?"

"Nac oeddwn, ond..."

"Ond beth?" gofynnodd Kerin.

"Dydw i ddim eisiau ymddangos o flaen y senedd."

Edrychodd Kerin arno'n syn.

"Alla i ddim wynebu Haza," eglurodd y dyn bach. "Fe

fydd rhaid i fi gadw draw."

"Iawn," meddai Kerin. "Fe fydd rhaid ichi roi tystiolaeth ysgrifenedig, felly."

"Wrth gwrs. Gyda llaw, mae un peth arall."

"Beth?"

"Mae ein gwyddonwyr yn dweud y bydd Volna'n mynd trwy gwmwl o wibfeini cyn bo hir. Mae'n rhaid rhoi rhybudd i'r Gleision. Fel y gwyddoch chi, weithiau mae cwmwl fel yna'n effeithio ar bwerdy canolog Volna am rai eiliadau..."

21.

Cerddodd Kerin i mewn i neuadd y senedd ac edrych o'i gwmpas. Roedd seddau'r seneddwyr yn llawn ond peidiodd pawb â siarad pan welon nhw bennaeth yr heddlu'n dod i mewn.

Roedd Huw Carmichael a Karl Majasan yn eistedd ar fainc o flaen y seneddwyr ac roedd y Dywysoges Haza yn eistedd wrth ochr Huw. Roedd pâr o efynnau llaw yn clymu braich dde Huw a braich chwith Karl ynghyd.

Yng nghanol y neuadd roedd arch wydr agored wedi ei gosod ar fwrdd pren. Roedd corff enfawr Vorsor yn gorwedd yn yr arch. Syniad y corrach oedd hynny.

"Rydw i eisiau i'r seneddwyr weld sut mae aelodau'r Llys yn cosbi eu gelynion," meddai wrth Kerin pan drefnwyd hynny.

Ond doedd Stravo ddim yn y neuadd i weld yr ofn ar wynebau'r seneddwyr.

Cachgi wyt ti, Stravo, meddyliodd Kerin. Ar ôl i fi ddinistrio Carmichael a Majasan, tro Haza a Halga fydd hi... ac wedyn dy dro di!

Agorodd drws ym mhen draw'r ystafell a daeth nyrs i mewn gan wthio cadair olwyn y Tywysog Halga. Roedd wyneb Halga'n wyn ond roedd e wedi dod yno i geisio amddiffyn ei ffrind Karl Majasan.

Sdim ots, meddyliodd Kerin. Roedd y neuadd yn llawn Gleision. Fyddai neb yn gallu achub Carmichael a Majasan nawr.

Aeth i sefyll yn ymyl arch Vorsor a dechrau siarad â'r seneddwyr mewn llais clir, hyderus.

Soniodd am y ddau garcharor a sut roedd y Tywysog Halga a'r Dywysoges Haza wedi mynd â nhw i mewn i'r palas brenhinol a'u hamddiffyn nhw rhag y Gleision.

"Ond yn lle bod yn ddiolchgar i'r tywysog a'r dywysoges," meddai, "mae Carmichael a Majasan wedi sôn wrthyn nhw am blanedau eraill, ac am grefydd!"

Roedd yr ystafell yn ddistaw iawn. Ceisiodd Halga ddweud rywbeth, ond roedd ei lais yn rhy wan i neb fedru'i glywed. Edrychodd Kerin ar y Dywysoges Haza. Roedd y gair "crefydd" wedi peri dychryn iddi. Roedd y corrach wedi'u bradychu nhw. Dechreuodd y dagrau redeg i lawr gruddiau'r ferch.

Cododd Kerin ddarn o bapur.

"Dyma dystiolaeth Stravo," meddai. "Seiciatrydd yw

e, ac mae e'n deall dylanwad dynion fel Carmichael a Majasan ar bobl ifanc ddiniwed fel Halga a Haza."

Roedd Haza wedi clywed digon. Cododd hi ar ei thraed a throi at y rhesi o seneddwyr. Dechreuodd y dywysoges siarad mewn llais tawel ond clir.

"Fe ddaeth Kerin â Huw Carmichael a Karl Majasan i Volna fel teganau i ddifyrru'r Gleision," meddai hi. "Yna, pan gafodd Huw ei anafu yn y sw fe ddaethon nhw â fe i'r ysbyty lle roeddwn i'n gweithio fel nyrs. Cyn hir roeddwn i wedi syrthio mewn cariad â fe."

Roedd pob seneddwr yn gwrando arni'n ofalus erbyn hyn. Aeth hi yn ei blaen.

"Mae Huw a Karl wedi dod â syniadau newydd i Volna – syniadau sy'n apelio at Halga a minnau. Cyn i fi gwrdd â Huw Carmichael doeddwn i ddim yn gwybod dim byd am natur, am awyr iach...am grefydd. Roedd Huw eisiau i fi wybod am bopeth sy wedi'i guddio gan Tamol a Kerin. Roedd e eisiau i fi golli'r ofn sy'n bla yma ar y blaned ddur."

Yn sydyn gwenodd y ferch drwy ei dagrau.

"Wel, Kerin," meddai hi. "Rydw i wedi colli fy ofn yn llwyr. Os ydych chi'n mynd i ladd fy nghariad fe fydd rhaid ichi fy lladd i hefyd. Fel arall fe fydda i'n cynllwynio yn eich erbyn chi am weddill fy mywyd!"

Tra oedd hi'n siarad diffoddodd goleuadau'r neuadd am hanner eiliad, ond doedd Kerin ddim yn poeni o gwbl. Roedd Stravo wedi rhag-weld hyn, ac roedd digon o'r Gleision yn y neuadd i ddelio ag unrhyw broblem.

Doedd Huw Carmichael ddim wedi sylwi ar y goleuadau o gwbl. Roedd e'n syllu ar yr arch wydr yng nghanol y neuadd.

Roedd corff enfawr Vorsor yn dechrau symud!

22.

Roedd rhai o'r seneddwyr wedi sylwi ar yr un peth, ond ddywedodd neb yr un gair. Yn y cyfamser, roedd Kerin wedi codi i'w draed eto.

"Diolch, Haza," meddai'n oeraidd. "Diolch ichi am gyfaddef eich troseddau. Ond dydych chi ddim yn bwysig o gwbl. Rydych chi wedi colli eich sedd yn y Llys. Mae'n well i ni drafod eich brawd Halga, sy wedi syrthio o dan ddylanwad y bradwr arall – Karl Majasan."

Yn sydyn clywyd llais arall ar y radio yng nghornel yr ystafell. Llais Stravo'r corrach oedd e.

"Volnwyr," meddai'r llais, "seneddwyr, gaethweision ...Rydw i'n galw arnoch chi i godi yn erbyn Kerin a'r Gleision...!"

Edrychodd pawb ar ei gilydd yn syn ac aeth wyneb Kerin yn goch. Aeth y llais yn ei flaen:

"Roedd rhaid i fi chwarae tric ar Kerin er mwyn cael fy ethol yn aelod o'r Llys," meddai. "Roedd Kerin yn meddwl bod gen i gyfrinach; roedd e'n meddwl fy mod i wedi syrthio mewn cariad â'r Dywysoges Haza a fy mod i'n barod i ladd Huw Carmichael gan fod Haza yn ei garu.

Wel, roedd gen i gyfrinach, mae'n wir, ond nid cariad oedd e ond casineb – casineb at Tamol, tad Kerin, a chasineb at Kerin ei hunan oedd mor awyddus i ddilyn polisïau creulon a negyddol ei dad."

Trodd Kerin yn sydyn a gweiddi gorchmynion at y Gleision yn y neuadd. Ond roedd Stravo'n dal i siarad trwy'r radio.

"Carcharorion ydyn ni i gyd ar y blaned yma," meddai. "Fydd Kerin byth yn gadael inni ennill ein rhyddid ar blaned arall. Wel, Volnwyr, mae gennych chi bum munud i'ch rhyddhau eich hunain. Rydw i wedi fy nghloi fy hunan ym mhwerdy canolog y blaned, ac mae'r Gleision yn curo ar y drws yn barod. Rydw i wedi diffodd yr ynni sy'n gyrru gynnau laser y Gleision a'ch modrwyau chi. Fe fydd rhaid ichi ymladd â'ch dwylo, fel yn yr hen ddyddiau."

Roedd eiliad o ddistawrwydd, yna dechreuodd Stravo weiddi mewn llais uchel: "Vorsor, Vorsor, codwch... codwch!"

Trodd Kerin a gweld corff enfawr Vorsor yn codi o'r arch.

"Daliwch e," gwaeddodd ar y Gleision. "Daliwch e!"

Rhuthrodd nifer o filwyr ymlaen a cheisio cael gafael yn y cawr. Ceisiodd un ohonyn nhw ddefnyddio ei ddryll laser, ond ddigwyddodd dim byd. Roedd Stravo wedi dweud y gwir. Roedd Vorsor yn hanner cysgu o hyd, ond pan deimlodd ddwylo'r Gleision ar ei freichiau daeth ei gryfder yn ôl iddo'n gyflym, a dechreuodd eu taflu nhw i ffwrdd fel milwyr tegan.

Ymosododd grŵp arall ar Huw a Karl, ac roedd rhaid iddyn nhw ymladd er gwaethaf y gefynnau ar eu breichiau. Doedd Huw ddim yn poeni amdano ef ei hunan, ond roedd e'n benderfynol o amddiffyn Haza.

"Traed!" meddai Karl Majasan wrtho, a dechreuodd y ddau ohonyn nhw gicio'n uchel er mwyn rhwystro'r Gleision rhag nesáu at y dywysoges.

"Seneddwyr," gwaeddodd Halga'n sydyn o'i gadair olwyn. "Mae'ch tywysoges chi mewn perygl!"

Petrusodd y seneddwyr am eiliad, yna dechreuon nhw adael eu seddau a dod i wynebu'r Gleision. Hen ddynion oedd y seneddwyr ond roedd geiriau Stravo wedi rhoi dewrder newydd iddyn nhw.

"Dros Volna a'r teulu brenhinol!" gwaeddon nhw wrth eu taflu eu hunain ar y milwyr.

Roedd y Gleision yn defnyddio eu gynnau laser fel pastynau erbyn hyn ac roedd llawer o seneddwyr yn syrthio i'r llawr o dan eu hergydion. Ond daeth ton ar ôl ton i gymryd lle'r rhai oedd wedi syrthio. Roedd y dywysoges mewn perygl ac roedd gwaed yr hen ddynion wedi poethi am y tro cyntaf ers blynyddoedd maith.

23.

Er gwaethaf y gefynnau roedd Huw a Karl yn rhy gryf i filwyr Kerin. Roedd y ddau ohonyn nhw'n rhoi ergydion caled i'w hymosodwyr.

Pan sylweddolodd Kerin fod y Gleision yn colli'r frwydr rhedodd at y drws agored. Roedd rhaid iddo gyrraedd y pwerdy a chael gafael ar y corrach oedd wedi'i fradychu e. Pe bai e'n llwyddo i ailgynnau'r pŵer gallai achub y sefyllfa ar unwaith.

Edrychodd allan trwy'r ffenestr ar yr iard o flaen tŷ'r senedd. Roedd y lle'n llawn o gaethweision ac roedd y Gleision yn ildio tir o flaen yr ymosodiad annisgwyl.

Dechreuodd Kerin regi o dan ei anadl. Roedd Stravo wedi'i dwyllo'n llwyr. Roedd y corrach wedi meddwl am bopeth, hyd yn oed y stori am y gwibfeini. Doedd Kerin ddim wedi amau dim pan ddiffoddodd goleuadau'r neuadd am hanner eiliad. Ac, wrth gwrs, roedd Stravo wedi ffugio marwolaeth Vorsor hefyd.

Ond roedd yr un syniad yn dal i droi ym meddwl Kerin. Pe bai e'n gallu cyrraedd y pwerdy cyn y lleill byddai'n gallu trechu'r corrach ac ailgynnau'r pŵer. Wrth gwrs, roedd ei elynion wedi cael gafael ar ddrylliau laser erbyn hyn, a byddai brwydr ffyrnig rhyngddyn nhw a'r milwyr, ond roedd Kerin yn hyderus y byddai'r Gleision yn ennill ar ddiwedd y dydd. Fyddai tipyn o waed ddim yn ei rwystro rhag rheoli Volna eto.

Wrth iddo gyrraedd y pwerdy gwelodd nifer o filwyr yn sefyll o flaen y drws.

"Brysiwch," gorchmynnodd e'n grac. "Torrwch y drws i lawr!"

Yna gwelodd e hen ŵr yn sefyll o flaen y drws. Y

gwallgofddyn o'r sw oedd e, ac roedd e'n dal ei ffon liwgar yn ei law.

"Oes ofn dyn fel yna arnoch chi?" gofynnodd Kerin yn wyllt.

Gwthiodd ei ffordd heibio i'r milwyr ond cododd yr hen ddyn y ffon uwch ei ben fel petai'n mynd i daro Kerin. Estynnodd pennaeth y Gleision ei fraich i fyny a chael gafael ar y ffon. Tynnodd hi o ddwylo'r gwallgofddyn yn ddidrafferth.

"Allan o'r ffordd," gwaeddodd. "Neu fe ladda i di!"

Yn sydyn teimlodd e'r ffon yn symud yn ei law. Edrychodd arni a sylweddoli mai neidr fyw oedd hi! Ceisiodd ei thaflu hi i ffwrdd ond trodd pen y neidr mewn fflach a brathu Kerin ar ei fraich noeth.

Edrychodd y Gleision ar eu pennaeth heb feiddio symud. Trodd e atyn nhw a cheisio rhoi ei orchymyn olaf iddyn nhw. Roedd yn rhy hwyr; roedd y gwaed yn llifo o'i wefusau yn barod.

24.

"Mae'n rhaid i fi ymddiheuro ichi," meddai Stravo wrth Halga a Haza y noson honno.

"Ond pam?" gofynnodd Haza. "Heb eich help chi fyddai dim byd wedi newid ar Volna, ac fe fyddai Kerin yn dal i reoli popeth."

"Ond fe roddais i eich bywydau i gyd mewn perygl,"

ebe'r corrach. "Ac roedd rhaid i fi gadw popeth yn gyfrinachol. Doedd neb yn gwybod am fy nghynlluniau o gwbl. Roedd rhaid i fi gael gafael ar fodrwy oren er mwyn gallu mynd heibio i'r Gleision ac i mewn i'r pwerdy canolog. Roedd rhaid i fi esgus casáu Huw hefyd er mwyn gwneud i Kerin ymddiried ynof fi."

"Dim ond chi oedd yn ddigon deallus i weld ein sefyllfa ni'n glir," sylwodd y Tywysog Halga. Roedd Halga'n eistedd yn ei gadair olwyn o hyd, ond roedd e'n teimlo'n llawer gwell ar ôl triniaeth meddygon Volna. "Carcharorion oedden ni yma ar ein planed ddur ac roedden ni'n ofni popeth."

"Ond fe ddaeth Huw a Karl â syniadau newydd gyda nhw," meddai Haza dan wenu. "Ac roedd Stravo'n barod i dderbyn y syniadau 'na."

"Halga hefyd," meddai Stravo. "Fe oedd y cyntaf i ymweld â'r blaned newydd."

"Faint o bobl fu farw yn y frwydr?" gofynnodd y Tywysog Halga'n bryderus.

"Dim un," atebodd Stravo, "ond fe gafodd rhai Gleision eu hanafu gan Vorsor. Breichiau a choesau wedi'u torri, ond dim byd difrifol iawn."

"Beth am y Gleision nawr?" gofynnodd Haza.

"Does dim Gleision nawr," atebodd y corrach. "Does dim caethweision chwaith. Volnwyr ydyn ni i gyd."

Edrychodd ar ei wats.

"Mae'n amser inni fynd i'r pwerdy," meddai wrthyn nhw. "Mae Karl Majasan yn barod am ei daith yn ôl i'r

Ddaear. Mae e'n ffarwelio â Huw."

Siglodd Huw Carmichael a Karl Majasan ddwylo am y tro olaf. Yna agorodd drws yr ystafell a daeth Stravo, Haza a Halga i mewn.

Gyrrodd Halga ei gadair olwyn ar draws yr ystafell a rhoi ei law ar fraich y dyn du.

"Rwy'n colli ffrind da," meddai'r tywysog.

Gwenodd Karl arno.

"Fi hefyd, Halga," atebodd.

Agorodd y drws eto a daeth gwyddonydd i mewn.

"Mae'r gell yn barod," dywedodd wrthyn nhw.

Dilynon nhw fe i mewn i labordy. Cyfeiriodd y gwyddonydd at gell wydr yng nghanol y labordy. Aeth Karl Majasan i mewn i'r gell ac eistedd i lawr.

Aeth y gwyddonydd at res o fotymau ar wal yr ystafell.

"Barod?" gofynnodd i'r lleill.

Edrychodd Halga ar Stravo, ond siglodd y corrach ei ben.

"Chi ydy tywysog Volna," meddai'r dyn bach. "Chi sy'n rhoi'r gorchmynion."

Trodd Halga at y gwyddonydd.

"Barod," meddai mewn llais trist, a phwysodd y gwyddonydd fotwm ar y wal.

"Stop!" gwaeddodd Huw Carmichael yn sydyn.

Roedd y gell wydr yn llawn mwg ac roedd corff Karl Majasan yn anodd ei weld yn iawn y tu mewn.

"Gan bwyll, Huw," ebe Stravo'n llym. "Mae Karl wedi

cychwyn ar ei daith trwy'r gofod."

Cliriodd gwydr y gell. Roedd Karl wedi diflannu. Yna gwelodd Huw lun aneglur yn ymddangos o flaen ei lygaid. Llun gwyrdd oedd e, cymylog i ddechrau ond yna gwelodd Huw goedwig ac afon yn ymddangos ar fath o sgrîn.

"Coedwig Karl!" meddai wrth Stravo.

"Ie, jyngl Affrica," atebodd y corrach.

Roedden nhw'n gallu gweld pethau'n glir erbyn hyn. Roedd dyn yn sefyll yng nghanol y llun. Karl Majasan oedd e ac roedd e'n gwenu'n hapus. Roedd e wedi cyrraedd adre o'r diwedd. Cododd ei law am eiliad i ddweud ffarwél ac yna diflannodd i mewn i'r goedwig.

Aeth y sgrîn yn wyn a throdd Stravo ei ben a gweld dagrau yn llygaid Huw Carmichael.

"Paid â hiraethu am y gorffennol, Huw," meddai'r dyn bach.

Trodd y gwyddonydd fotwm arall ac ymddangosodd llun arall ar y sgrîn. Llun mynyddoedd a llynnoedd oedd e, ac awyr las a chymylau gwyn.

"O, mae'n hyfryd," meddai'r Dywysoges Haza, gan ddal llaw Huw Carmichael. "Y Ddaear ydy hon?"

Siglodd Stravo ei ben.

"Nage," meddai â gwên hapus. "Y blaned newydd, ein cartref ni ar gyfer y dyfodol..."